Petit Panda

et le tigre volant

Renata Liwska

Petit Panda

et le tigre volant

lutin poche de l'école des loisirs

11, rue de Sèvres, Paris 6ᵉ

Pas plus tard que l'autre jour, Grand-père Panda bavardait

avec son petit-fils.

« Je vais te raconter l'histoire du petit panda et du tigre qui vole. »

« Mais, Grand-père, c'est idiot. Un tigre, ça ne vole pas »,

s'écria le petit-fils.

« Comment le sais-tu avant même d'avoir écouté mon histoire ? »

demanda Grand-père.

« Il y avait autrefois un petit panda qui s'appelait Bao Bao »,
commença Grand-père.

« Il vivait avec Lin Lin, sa maman, dans les montagnes
noyées de brume. Rien que tous les deux, mais Bao Bao
ne se sentait jamais seul. Il avait sa maman, et elle était
tout pour lui. »

« Attention, maman, j'arrive », braillait Bao Bao
lancé à la poursuite de Lin Lin.

« Ça y est, je t'ai attrapée ! » criait-il en se bagarrant
avec elle.

« On monte ! » disait-il en riant, et ils grimpaient
aux arbres et se balançaient aux branches.

« On descend ! » hurlait-il, en se laissant tomber.
Bao Bao était très doué pour tomber.

Mais ils ne jouaient pas que pour s'amuser.

Pour Lin Lin, c'était aussi une façon de donner d'importantes
leçons de panda à Bao Bao.

« Si tu es poursuivi, sauve-toi en courant », lui conseillait-elle.

« Si on t'approche de trop près, défends-toi, ou encore mieux,
grimpe tout en haut d'un grand arbre. »

Après les jeux, sa maman s'asseyait pour croquer
des tiges de bambou, son grand régal.
Lin Lin aimait manger presque autant que Bao Bao
aimait jouer. Et c'était parfait, parce que les pandas
adultes doivent manger beaucoup de bambou.

Tellement, à vrai dire, que la maman de Bao Bao devait
parfois voyager pendant des heures, et même des jours,
en quête de nourriture.

Mais cela ne dérangeait pas le petit panda. S'il y avait
quelque chose qu'il aimait encore plus que jouer, c'était
dormir. Quand sa maman partait chercher du bambou,
il grimpait en haut de son arbre préféré pour faire la sieste
en attendant qu'elle revienne.

Un jour, Lin Lin dit à Bao Bao : « Tu ne crois pas
que tu deviens un peu gros pour ce petit arbre ? »
« Bien sûr que non. Je l'adore ! » répondit-il.
« Bon, alors sois prudent pendant mon absence »,
lui recommanda sa maman en partant chercher
de quoi manger.

Mais Bao Bao ne l'entendit pas. Il dormait déjà.

Bao Bao se réveillait de temps à autre pour s'étirer ou changer de position, et puis il se rendormait. Un jour, comme il remuait pour s'installer plus confortablement, il entendit un bruit venu d'en dessous.

Croyant que sa maman était de retour, il demanda d'une voix endormie : « C'est toi, maman ? Tu as fini ton repas de bambou ? »

Mais ce ne fut pas sa maman qui répondit.

Non, ce fut une voix grave qui dit en ronronnant :

« Je songeais à autre chose, en guise de repas. »

Bao Bao fila plus haut dans l'arbre.

Le tigre le suivit, et lui griffa le derrière.

« AÏE ! » cria Bao Bao.

Bao Bao grimpa encore plus haut, mais l'arbre était bien petit. Très vite, il arriva au sommet et ne put aller plus loin. Le tigre bondit.

« Ça y est, je t'attrape », grogna-t-il.

Mais le tigre le manqua...

... car Bao Bao se laissa tomber juste à cet instant
(il était très doué pour tomber). Quand Bao Bao releva
la tête, il vit que l'arbre était vide et que le tigre n'était
nulle part.

Un peu plus tard, sa maman revint.

« Je viens de voir une chose bien étrange : un tigre qui volait dans le ciel », lui raconta-t-elle.

« C'est idiot. Un tigre, ça ne vole pas ! » répondit Bao Bao, perché très haut dans un arbre immense.

« La voilà, mon histoire », conclut Grand-père. « Alors, qu'en dis-tu ? »

« Euh… vu comme ça, je suppose qu'un tigre aurait pu voler »,

reconnut le petit-fils.

« Et moi, je suppose que tu dois me croire sur parole »,

dit Grand-père.

Pour Michael

Traduit de l'anglais (États-Unis) par Isabelle Reinharez

ISBN 978-2-211-21143-7
Première édition dans la collection *lutin poche*: juin 2013
© 2010, l'école des loisirs, Paris, pour l'édition en langue française
© 2008, Renata Liwska
Titre de l'édition originale : « Little Panda »
(Houghton Mifflin Company, Boston, 2008)
Loi numéro 49 956 du 16 juillet 1949 sur les publications
destinées à la jeunesse : février 2010
Dépôt légal : juin 2013
Imprimé en France par Pollina à Luçon - L64483